अग्निगर्भा शब्द

अग्निगर्भा शब्द

राजी सेठ

वाणी
प्रकाशन

प्रकाशन के उत्कृष्टतम 61 वर्ष

vaniprakashan.com

सजिल्द पहला संस्करण : 2024

वाणी प्रकाशन

4695, 21-ए, दरियागंज, नयी दिल्ली-110 002

फ़ोन : +91 11 23273167, 23275710

शाखाएँ

अशोक राजपथ, पटना-800 004, बिहार

कॉफ़ी हाउस कैम्पस, महात्मा गांधी मार्ग, प्रयागराज-211 001, उत्तर प्रदेश

महात्मा गांधी अन्तरराष्ट्रीय हिन्दी विश्वविद्यालय, वर्धा-442 001, महाराष्ट्र

sales@vaniprakashan.in
vaniprakashan@gmail.com

Agnigarbha Shabd
by Rajee Seth

ISBN : 978-93-6287-517-4
Poetry Collection

मूल्य : ₹ 400

थॉमसन प्रेस (इंडिया) लि. में मुद्रित

वाणी प्रकाशन का लोगो मक़बूल फ़िदा हुसेन की कूची से

उस 'वात्सल्य' को
जिसने कविताओं की
संगत की....

अभिस्वीकृति

मेरे पिता **स्व. निरंजन नाथ सेठ** की यह प्रबल मंशा रही कि मेरी माँ **(राजी सेठ)** की यत्र-तत्र प्रकाशित कविताओं की किताब प्रकाशित हो, पर यह हो न सका। आज कविताओं के चार संग्रह (**शब्दों में पत्थर, अग्निगर्भा शब्द, शब्दों का जीवन** और **भीतर उतरने का उत्सव**) प्रत्यक्ष देखकर उल्लसित माँ और प्रतिछाया से देखते हर्षित पिता की अनन्य अनुभूति से मैं अभिभूत हूँ। उच्छ्वास का यह एहसास दिया है महात्मा गांधी अन्तरराष्ट्रीय हिन्दी विश्वविद्यालय, वर्धा के प्राक्तन प्रोफ़ेसर **डॉ. डी.एन. प्रसाद** ने; जिन्होंने पत्र-पत्रिकाओं में प्रकाशित कविताओं के साथ धूलभरी गठरी (files) में पड़ी सोयी कविताओं से धूल साफ़ कर चयन-सम्पादन के पुस्तक-प्रणयन सन्दर्भित सारे पूर्व विधान से मूर्त रूप दिया। डॉ. प्रसाद के बिना यह सब सम्भव न होता। उन्हें मेरा आत्मिक अभिवादन!

सुप्रसिद्ध चित्रकार श्री परमजीत सिंह जी का हृदय से आभार। उनकी कलाकृतियों ने पुस्तकों के आवरण को सार्थकता प्रदान की है।

इन चारों कविता-संग्रहों को एक साथ प्रकाशित कर वाणी प्रकाशन के स्वामी **श्री अरुण माहेश्वरी जी** हर्षित हैं। मैं उनको विशेष आभार व्यक्त कर अपने को गौरवान्वित महसूस कर रहा हूँ।

राहुल

4 अक्टूबर, 2024

+91-9958459221
rahulseth@yahoo.com

आमुख

प्रतिलिपि बनकर जीना संज्ञा प्रतिपादित नहीं करती

शब्द अग्निगर्भा होते ही हैं। अर्थ गाम्भीर्य से लबरेज! ऐसा गह्वर; जहाँ से शब्द अग्नि का तेज, जागरण और प्रकाश की लौ लेकर आते हैं और शब्दयात्रा को ज्योति से भर देते हैं। यथा–'तमसो मा ज्योतिर्गमय' का आह्वान करते हैं। इन्हीं अर्थ-व्यंजना को लेकर सृजनरत् राजी सेठ का यह काव्य-संग्रह **'अग्निगर्भा शब्द'** प्रसूत हुआ है। राजी सेठ की ये सारी काव्य-यात्राएँ समकालीनता-बोध की उपस्थिति दर्ज करती हैं। सदी से बात करने की, सदी से अपनी बात कहने की कवयित्री राजी सेठ तत्पर हैं। इनकी कविताएँ कहती हैं–''मुझे जल्दी में मत पढ़ो। थोड़ा रुककर, ठहरकर.... पढ़ो.... मैं तुम्हें अर्थवान्वित करूँगी।'' ऐसी कविताओं की अनुगूँज के लिए 'अग्निगर्भा' शब्द सार्थकता की पुष्टि करता है, सोच की सकारात्मक ज्योति को जलाये रखने की ऊर्जा देता है।

कोई नहीं जानता
किसे सूझ जायेगा अग्निगर्भा शब्द
अनुगूँजों वाला अर्थ

यह 'अनुगूँजों वाला अर्थ' ही अग्निगर्भा शब्द को शब्दायित करता है। प्रस्तुत संग्रह की कविताएँ उक्त अर्थबोध को बोधित हैं। शब्द-मौन जिजीविषा का ही आदिप्त हठ है जिससे राजी सेठ की कविताएँ सावेगित बोलती हैं हक से! समय और समकाल का स्वर कवयित्री राजी सेठ की कविताओं में निनादित है। स्त्री-स्वर मुखरित हुआ है। पति और पिता दोनों से साग्रह सवाल करती कविताएँ संवेदना के झील में कंकड़ की मीठी चोट है जो रिश्तों की हिलोरें लेने को सम्बल प्रदान करती हैं। रिश्तों के रेशे में रम्यता का रमना रंग भरने लगता है। राजी सेठ का अनुभूत सत्य तथ्य से इतना रागवेष्ठित है कि उनकी कविताएँ सत्यानुभूति की साधना करती हैं। राजनीति की नीति अनीति में 'ताबेदारों को पता है' कविता आँखों में अर्थ की अनुगूँज भर देती

है। स्त्री-सत्व की संस्कारित कविताएँ स्नेह व सोच को विस्तार देती हैं। राजी की कविताएँ साफ कहती हैं– ''प्रतिलिपि बनकर जीना संज्ञा प्रतिपादित नहीं करती'' यह संज्ञान होना ही प्रसूत काव्य-संग्रह का अभिप्रेत है!

—डॉ. डी.एन. प्रसाद
वाराणसी

दो शब्द

बहुत-सा अनुभव सिर से गुजर गया, इसलिए बहुत-सी बातें नयी नहीं लगती। जो Mentally Tickle करती हैं उन्हें Note करने का आलस्य घेरता है। आलस्य को खखोलने बैठो तो छोर के अंत में एक गठरी बँधी है- जिसे खोल दो तो कहेगी मरना बँधा है.... फिर किसलिए यह 3-5 (तीन-पाँच)! यह एक बात है जो कभी नहीं भूलती। जीवन-काव्य का यही सत्य है जिससे मुठभेड़ मानव-काव्य को करना ही पड़ता है।

—राजी सेठ

क्रमागत

चला आ रहा हो कोई

सामने
रेला आता है निकल जाता है
फिर कोई दूसरा रेला
काट नहीं पाता आँख का लेजर, कि
दीख ही जाये
कौन-सी काया में
कहीं-कहीं
रखी हुई है
कोई एक वस्तु
जिससे फूट पड़ती है किरणें
अक्सर बाहर

वस्तु का धारक भी जान नहीं पाता
कहाँ रखी हुई है कोई एक वस्तु
जिससे फूट सकती है किरणें
अक्सर बाहर

जान नहीं पाता क्योंकि
वह तो चलता चला आ रहा सदियों से
भीड़ों में
रेलों में
रेतीली थुल-थुल में
ठिलता चलता

शरीर लस्त-पस्त है
क्योंकि धातु बलवान है

बलवान न होती तो
कौन था जो चढ़ा था सूली
जिसने पिया था विष
जिसने सही थी सीने पर गोली
अभी-अभी
इतने पास कि जिसको छू सकती है
हाथ बढ़ाकर
मेरी इसी सदी की साँस
अभी-अभी तो फाड़ा था उसने चीर
ढांपी एक लंगोटी
थामा एक डंडा
एक निर्णायक पल में पाट लिया काला सागर

उसी सदी के सिरहाने
महा को और मानव को
कैसे बाँट सकता है कोई टुच्चा अनायक

कौन जाने रेलों में
भीड़ों में
गिरता-पहाड़
चला आ रहा हो कोई
जिसकी काया में रखी हुई हो
कोई एक वस्तु
जिससे किरणें फूटने लगें
एकाएक बाहर।

शत्रु कोई और है

हम अभी गए नहीं थे
पटरियों पर थे
पीछे वाले चले आये थे
और पटरियों से धकेल रहे थे

पटरियों पर गुत्थमगुत्था
होश ही नहीं था कि वह कितना
खतरनाक खेल है
समय की रेल धड़धड़ाती आ सकती है
फेंक सकती है पथरीली सख़्ती पर
कर सकती है दिमाग और धड़
दो टुकड़े

न गए और आ गए के बीच
कितना शीत घमासान
शातिर भिड़न्त
नहीं, कुछ भी निर्णायक नहीं होगा
शत्रु है तो कोई और है

शत्रु है इसीलिए ओझल है
चुप और घुन्ना
बोलेगा नहीं पर घट जायेगा
लपक कर उतार देगा पटरियों से

आगे चलते लोग
पिछलों के पीछे एक नया समूह रचकर।

हाथ अगर हाथ हैं तो

समुद्र तट
रेती
लहरों के सनातन संघर्ष से गोलाया हुआ
पोरों ने पाया
एक अंडाकार पत्थर

पत्थर के अपनापे को चाटती रही होंगी
सर्पिल लहरें
कितने किऽतने दिन
समय का चेहरा उकेरती रही होंगी
रेतीली सतरें
कितने किऽतने युग

हाथ अगर हाथ हैं तो
जान सकना चाहिए
पत्थर पर अंकित
समय की छाप
आँख को नाप सकनी चाहिए
स्पर्श की सीध में पीछे चलती
समय की पदचाप, जब
पत्थर एक चट्टान थी
नोकदार

जब
लहरों को लौटा रही थी उसकी एक
अकेली अड़ियल नोक
जब
पछाड़ खाकर मुड़ रहा था
क्रोधित जल
तोड़ देने को सीने का बल
खोल देने को गोपन गहराईयाँ

हाथ अगर हाथ हैं तो
जान लेना चाहिए इतिहास
सुन लेनी चाहिए छिद्राणुओं में संचरित
समय की साँस
आत्मसात हो सकनी चाहिए
तरल और कठोर के घमासान की पुराकथा
खोल सकनी चाहिए
उद्दाम की लहरीली जटा
उकेर लेना चाहिए
इतिवृत का मुखड़ा
टूटते पत्थर का दर्प
दंश
उच्छवास
कोप
फिर करुणा
हाथ अगर हाथ हैं तो....!

पति के लिए

भूल जाती हूँ तुम भी उतना ही रास्ता पाट चुके हो
मेरे साथ-साथ
उतने ही श्रांत
उतने ही क्लांत

मैंने जाना जो था
तुम्हें एक पुरुष
छतरी
रोटी
और सैर

भूल जाती हूँ
तुम्हारे भी गतिहत चरण
चुनना चाह रहे होंगे
समय की सड़क पर अंकित अपनी छापें
काल के निप्रीत पैरों से डरकर

तुम्हें भी टेरता होगा आकाश
पतिपन और पितापन की
खोखल से उचककर

ओ तुम!
जाओ

त्वरित हों तुम्हारी अधूरी यात्राओं के पैर
छोड़ जाओ बेशक, यहीं
अपने श्रमिक कंधे
ले जाओ
अपनी आँखें
कान
नाक
मन
खोज लो अपनी धारा
एकदम विवस्त्र होकर।

पिता को कह नहीं पाई थी मैं स्त्री हूँ

पिता ने मुझे दुहिता माना
एक नग शुचिता वाला
शुचिता स्त्रीत्व के पूरेपन को काट देती है
सम्बन्धों के वस्त्र उतरते जाते हैं
स्त्रीपन की एक अखण्ड लम्बाई भीतर लेटी रहती है

सदियों की चौहद्दियों में बंद पिता मजबूर थे
उन्होंने बस इतना देखा
बस इतना चाहा
बस इतना ही समझाया
फिर सदा अपराधी की तरह ही फेंकते हुए वस्त्र पिछवाड़े
डरते-डरते आजीवन
छुआ गया
अपना भी पूरापन

पिता भी क्या जानते नहीं होंगे
एक समय था–कुटुम्ब तो था ही नहीं
न कोई स्वामी, न स्वामित्व
शुद्ध बुद्ध ऊर्जा थी
आद्य-स्त्री एक
आद्य-पुरुष आमने-सामने
उन्मुख
आंदोलित
प्रचंड

आत्मन का लिबास

घर भर को प्यारी
बहुत दुलारी
चौखट के भीतर पैर रख चुकी दिपदिपाती स्त्री
प्यारी क्यों न होती
स्त्री के पास ही तो था-जादू का पिटारा
सदियों सदियों पुराना
स्त्री के पास ही तो थे–
बाबा आदम के जमाने से
सदा-साथ
दो दो हाथ
हाथों में जादू-राँधना पकाना
जीमना जिमाना
जोड़ना सँवारना

फटे को थिगड़ी
तपे को तरावट
रूठे को मनुहार
ढहते को दीवार
भूखे को पकवान
ललसाए को बिछौना
वंश को कोख
बिलखते को गोद

स्त्री के पास सब कुछ...
कितना कुछ तो था–
छत थी, खावन-खिलावन, लुगड़ा-बिछावन
दो जादुई हाथ
पैर थे,
देह थी,
प्राण थे,
आत्मन भी कहीं-न-कहीं तो होगा ही होगा

आत्मन का लिबास
बेसुध बौराई ने, पता नहीं कब, कहाँ
रख दिया होगा

रास्ता भी रोशनी भी

वक्त आगे बढ़ता है
मैं नयी नहीं होती
हड्डियों के भुरभुरे गट्ठर में
छिपाए फिरती हूँ
बचे-खुचे मुहूर्तों का चेहरा

शुतुर्मुर्गी होती है चाल
एक जगह जो अपनी थी
वह भी
छीन न ली जाये किसी तत्काल

अरगनी पर टाँग देती हूँ देह
हाथों को बचा लेती हूँ
अगोरने को बाती

पैरों को पुचकारती हूँ
चुनते रहे काँटे
पीछे से आ रहा है काफिला
नये समय की गंध वाले आत्मीयों का
जिन्हें रास्ता भी चाहिए
रास्ते में रोशनी भी!

ताबेदारों को पता है

संविधान के अमलदारों ने सोचा
वे खुद ही सज़ा दे लेंगे
काले बागियों को

संविधान तो
विधानसभा के गलियारों में
अमरत्व की नींद सोया है
सोना अच्छा है

एक ऊँची भरकम चट्टान
महल से इतनी दूर भी नहीं कि सुन न सकें कान
इतनी पास भी नहीं कि होता रहे व्यवधान

चट्टान के जठर में खुदवायी जाती
लम्बी लेटी गुफा
सीखंचों का दरवाज़ा इधर-उधर, आर-पार
होना ही था
जीना जरूरी था दागदारों का
चट्टान को चौतरफा घेरती चौड़ी खाई
चट्टान के सिर पर हस्बेमामूल
झरे-पत्ते घास-फूस
ताबेदारों को पता है केवल
जाने का रास्ता

बाहर घोर जंगल है राजा संतुष्ट है
राजा का संतुष्ट रहना अच्छा है

वाह रे वाह! खूब जमेगी
यदि हाथों में जाम
बालरूम के रेशमी उजाले में
फूलती फ्रांकों और
कमर को कसती हथेलियों के बीच
कहीं कोई एक चीत्कार भी हो

सम पर आकर हाँफता संगीत
चीत्कार के कंधे पर टूटे
तड़पे
तड़पन अच्छी है, तहरदार
जैसे कलेज़े के गोस्त से निकलती है छुरी
धारदार

चीत्कार में कितना बल है
ओहदेदारों के अमल को चमकाने का
जाम की छलछल में
दर्पीला प्रतिबिम्ब दिखाने का
उन्होंने सही सोचा
सोचना अच्छा है।

नहीं तो मैं

तुमने कहा था–
''मैं बिन्दु हूँ और तुम्हें अपनी परिधि बनाता हूँ
तुम्हारे द्वारा घिरे रहना चाहता हूँ
विस्तार पाता हूँ
धारण किया जाता हूँ''

क्या तुम्हें नहीं पता
बिन्दु जब बाहर को चलता है तो परिधि बन जाता है
परिधि भीतर को चले तो बिन्दु में सिमट आती है

कोई भी बिन्दु
किसी दूसरे की नहीं
अपनी ही परिधि का विस्तार होता है

कोई भी परिधि
किसी दूसरे में नहीं
अपने में शामित होती है
सघन होकर

इस फैलने और सिमटने के बीच
एक व्यास
एक दूरी
घात प्रतिघात का एक रिश्ता

वारने उगाहने का एक सिलसिला
आने और जाने की एक निहित दौड़
पाने और खोने की एक कशमकश

यह सब सदियों से चलता है
परिधि बिन्दु को और बिन्दु परिधि को सहता है
क्योंकि कोई भी
एक दूसरे का अतिक्रमण नहीं कर सकता

मैं परिधि हूँ
क्योंकि तुमने ऐसा कहा था
कि तुम मेरे बिन्दु हो
तुमने चाहा था कि कोई एक परिधि हो
जो तुम्हें घेरे
लील ले
आक्रांत करे
उघाड़े
तुम्हारी, तुम्हीं तक पहुँचने की राह को
परिधि तक
पूरे का पूरा खोल दे

नहीं तो मैं
स्वयं एक बिन्दु
परिधि की अपनी रचना के लिए
यात्रारत....

सागर

सागर
सहस्र बाँहों वाला सागर
सहस्र कंठों से पुकारता
क्यों
मुझे कोई अपना
नहीं स्वीकारता!

कच्चे हैं पुल

कच्चे हैं पुल
खम्भों की जड़ें कब से
पानी में खड़ी भीग रहीं

हिला सकती है पुल
राहगुजर के पैरों की कितनी नन्हीं निरीह-सी आहट

तुम्हारा होना कितना जरूरी है!

आते हैं लोग

सोना बहुत दिनों स्थगित रहा
जबकि सोने में आते हैं लोग
जो कभी नहीं आते
जो कहीं नहीं होते

तसलीमा नसरीन

तुम्हारी
एक उद्‌दाम आवाज़
के लिए
तुम्हें मानपत्र

उसी आवाज
के लिए
तुम्हारे लिए फतवा

आने वाला मनुष्य
दो ध्रुवों से हटकर
कर सका
यदि तुम्हारा अभिषेक

तभी हम विजयी होंगे।

स्वतन्त्रता के बाद

हम
चलते चलते
कैसे वहाँ पहुँच गए
जहाँ चौंध थी रोशनी की
अंधेरे जैसी अवाक

लहरें नहीं थीं
लपटें थीं
सागर के किनारे
नंगी
नहातीं

गाते तो रहे थे गान
ध्वनियाँ फिर क्यों
मूर्छित होती गयीं
अपने आप

ओ मेरे दुधमुँहों

कहाँ
किस दुलाई में दुबके हैं
मेरे स्पर्शने को
ओ, मेरे दुधमुँहों
तुम्हारे चरण

तुम्हारी भिंची मुट्ठियों
और बंद आँखों के अबोध में
निश्चय ही
बच गया होगा
मेरे उतप्त देश का भविष्य!

माँ-पिता

स्मृति की दहलीज
दो सटे हुए मुख
जब भी हाथ बढ़ाऊँगी, छू लूँगी
इतना आश्वस्त मन

पर दहलीज थी कि खिसक रही पीछे
पीछे जहाँ शून्य है अनन्त
निसम्बम्ध
जानती हूँ यह हड़प लेगा जरुर
दहलीज, टिके हुए चेहरे

कितना अद्‌भुत था दृश्य
पते देख रहे थे अपनी नंगी जड़ें
और हाथों में कुदालियाँ भी नहीं थीं
नहीं थी कहीं समय के बँटवारे की लकीर
आमना सामना था
जैसे देह को नीचे बैठा छोड़कर
आँख की सीध में आँख
बाँध लेती है अपाट पर पुल।

ठिठका खड़ा था दृश्य
जैसे सदियों से
अब क्यों खिसकती है भीत

दहलीज
चेहरे
आँखों का पुल
अब क्यों
अब क्यों?

आदिप्त हठ

दीखी, मुझे
संसार के रेतीले सिरहाने पर
खड़े पैरों की आवेग-भीत कातरता

दीखा-
बालू की बेईमान अस्थिरता में
पंजे अड़ाकर
लहरों के विजयदर्प को झुठला जाने का
आदिप्त हठ, भी तो

वह अपना ही चैतन्य था

चेतना में चिरते चौराहों पर
मिली तुम मुझे
एक
सदा उपस्थित

वह
अपना ही चैतन्य था
जिसने मुझे चौंकाया

सिर्फ इतिहास

तुम्हारे जीने को छूने
के लिए
बचा-सिर्फ तप
सिर्फ स्मृति
सिर्फ इतिहास!

कितना बीहड़

पूरे का पूरा
बाहर
घुस गया था
भीतर
बाहर को बाहर करने का उपक्रम
अब कितना बीहड़!

उधर से आवाज़

उधर से चलकर आती आवाज़
खुशी हुई थी

छड़ी कोई हाथ में नहीं थीं
न फूँक पहुँच सकती थी
न दीवार गल सकती थी
न आकाश पिघल सकता था

न अंधेरों का दूत दयालू था
न भूगोल पक्ष में था
कि अलाव उजालने जाते

पुलिस खखोलेगी धड़

अखबार
एक चित्र–
बिना सिर का धड़
रास्ते में
दीवार से टिका पड़ा

मन ने कहा– मनचन्दा
राजीव गांधी
चार दिन पहले
बोरी में बरामद
महानगर को मिला
एक ऐसा पुलिन्दा

कौन रहा होगा अभियुक्त, जो
ले जाता है सिर–
सर्वोत्तम हिस्सा।

पुलिस खखोलेगी धड़
चीरेगी वस्त्र
मरा था, या
मरी थी
जानने के लिए।

ईर्ष्या

रास्तों पर
उन्होंने
लाल पाँवड़े बिछाए

नीचे नीली धारियों वाले साँप
छोड़ दिए
जो केवल
पैरों की धमक से जागते हैं

जन्मदिन

सोचा था
ठेल ले जाऊँगी पाँव
नदी तक
अपने जन्म के दिन।

कछार पर बैठकर गिनूँगी
क्या किया इतने दिन!

समय की दस्तक ने लपककर
जो लकीर खींच दी है
मेरे देखते ही देखते
उसे बीच में रख लूँगी
और पूछूँगी अपने से–
क्या क्या बाकी की
पसरती है पसलियों में धुन
किन रास्तों की पुकार?
किन बातों के तनाव?
फेंक आऊँगी कुछ फालतू से लगते कंकर
लेती आऊँगी 'प्रवाह' को मन में बाँधकर

अभी अधजगी
उजाले को जागना था अभी
बिल्ली सा रास्ता काटती रही

फोन की घंटियाँ
मूठ में फँसे हुए फूल
मिल बैठने के आग्रह
चकमक बाज़ारू कार्ड
भेंट
घूंट
दावत
गुंगुआती बैठी रही
कांधे पर
उन सबकी पोटलियाँ टांगे
देर
कितने देर
रात तक!

मेरे पीछे

वहाँ
उस नगर में
उस बरगद के नीचे
भूरे रंग के दरवाजों वाला
एक घर था
एक माँ थी।

घर
उसी नगर में
उसी बरगद के नीचे
भूरे रंग के दरवाजों वाला
अब भी है
माँ
उस घर में
अब भी है

पर
वह मेरी नहीं
उन बच्चों की माँ है
जिनका बचपन
मुझे
मेरे घर को
मेरी माँ को

धकियाता दफनाता
मेरे पीछे-पीछे
चहकता
खिलखिलाता
दौड़ता चला आया

सदी से कहो

सदी से कहो अंतिमता मत माँगे

अभी तो बहुत सी चीजें
बहुत सी चीजों के पास-पास हैं
अभी तो यह यात्रा है
कितने ही चरण साथ-साथ हैं

अभी तो लोग दहलीजों पर हैं
ढलते आलोक के गवाह हैं
अभी तो हवा अंधड़ है
दिशाएँ गुमनाम हैं
अभी तो लोग जुलूस हैं
लय उन्माद है
अभी तो सब जुगाड़ में है
कितने बदहवास हैं
अभी तो जैसा बाजार है
वैसे खरीदार हैं
सदी से कहो अंतिमता मत माँगे

कोई नहीं जानता
किसे सूझ जायेगा अग्निगर्भा शब्द
अनुगूँजों वाला अर्थ
कोई नहीं जानता

कौन सा खरगोश थककर अधबीच बैठ जायेगा
कौन सा कछुआ लपककर रास्ता नाप जायेगा
अभी तो लोग अधबने हैं
बेड़ियों की झनझनाहट कानों के पास है
आधी सदी पहले का विश्वास
कितने कम लोगों के पास है
अभी तो एक यात्रा है
बहुत से चरण साथ-साथ हैं

अभी भी हर चरण को
किसी एक मुहूर्त की तलाश है
कोई नहीं जानता
किसे सूझ जायेगा अग्निगर्भा शब्द
अनुगूँजों वाला अर्थ
सदी से कहो अंतिमता मत माँगे!

देख नहीं सकता कभी आकाश

दीवार के चौतरफ़ा सीमेंटपन के बीच
जड़ी एक खिड़की
खिड़की में सीखचे
खिड़की है कि देखती है आकाश
उतने जितना नीलापन

खिड़की देखती है
दिशाओं की देह से चलता
हवा का खिलवाड़
खिड़की देखती है अनवरत
असीम

खिड़की ही है जो अनझिप
देख सकती है
आकाशपन
देख नहीं सकता कभी आकाश
खिडकीपन।

विधवा

क्या तुम्हें पता है
वे सब यह भी करेंगे
पोंछ देंगे ललाई ललाट की
हर लेंगे
कलाई तक का कलरव
जीने के लिए कहेंगे
आवाज़ के अभाव को आस्वाद बनाकर।

वे जरूर डाकू थे

वे जरूर डाकू थे
पर नहीं थे हथियारबंद
न चेहरों पर नकाब
न घोड़ों पर सवार
न आँखों के डोरे लाल
न सिर पर खून सवार
न साथ कोई गिरोह
न रोबीला ठसकेदार सरदार

पर वे जरूर थे अंदरूनी जानकार
चोर दरवाजे से घुसे
उचाट टकटकियों में गीली रातें लपेटते

रखा था जितना
थोड़ा-सा कुछ
उसे लूटकर ले गए
छितरा दिया रेशा-रेशा
सम्पुंजित स्वत्व!

बोलता रोमांच

देह के रोओं के रास्ते-
बोलता रोमांच
अपनी ही चोर-मुट्‌ठी में
भिंजा रह गया

किसी भागते
स्वप्न का स्मरण!

कब उमड़ोगे भीतर

फ़िर
कब
उदधि-सा उमड़ोगे भीतर
अनन्त की बाँह बन
सहेजोगे
उतना ही

शब्द-मौन

तुम नहीं तोड़ते मौन
क्योंकि
तुम्हें शब्दों
  अवसरों
  वांछित परिवेश की कहीं निश्चित प्रतीक्षा है

मैं, तोड़ नहीं पाती मौन
क्योंकि
मुझे इच्छा
  अपेक्षा
  प्रतीक्षा नहीं है
  अनुभूत के प्रखर एकान्त में
  अवसर, परिवेश, शब्द का आग्रह जोड़ने का

जिस मौन से तुम
निकलना चाहते हो
'जिस कुछ' को समेटने के लिए
उसी मौन में
मैं डूबना चाहती रही
'उसी कुछ' को सुरक्षित रखने के लिए।

जिजीविषा

जड़ता की
पथरीली दीवार, में
चाहे
चुन दी जाती जिजीविषा
धरती को
धरती ही रहना था
प्रियतम आकाश का
कहना था!

मेरा ही स्मरण

माना मैं कहीं नहीं
फिर भी
हर सघन-प्रसंग बाँचते
तादात्म्य जाँचते
मेरा ही स्मरण
क्यों तुम्हें
सब कहीं
टँका मिला

अपना भविष्य
मुझे
यूँ ही अनन्त नहीं लगा!

अडिग पहाड़

बीच में
समय कुसमय का
स्थिति-परिस्थिति का

बीहड़
अडिग पहाड़
कितना!
कितना!!
ढा पाओगे
जो मुझे पाओगे

प्रयास

चू पड़ने को आकुल
द्रवित
कहाँ है कलम के मुख पर
कोई बात!

यह तो
अटूट सन्नाटे में
ध्वनि जगाने का
प्रयास
हिम खंडों में दुबकी
हो गुपचुप
कोई
भाव-प्रवण साँस!

तुम्हारे खड़े रूप को

लेखनी मेरी
लेखक मैं
पर रचना तो तुम्हारी
  बस तुम्हारी हुई

प्राण तुमने पाए
अपने आप से घटे
    या बढ़े
नये अर्थों से गए जड़े
            तुम ही

तुम्हारा आकार
 अपूर्व-अनूप
 उदात, निर्विकार
 रूप की देह में
  प्रतिपल, प्रतिछिन
            गए गढ़े
            तुम ही

मैं तो, फिर भी
साधन ही रही
निमित्त
तुम्हारे खड़े रुप को
  और अधिक गढ़ने का!

प्रतिबिम्बन

किसी झील के किनारे
मौन का मातम चीरते पैरों
गुँथे हाथों का स्वप्न
अभी
स्थगित है

तभी स्वीकारेंगे
जब
अन्तर की राह टटोलती अंगुलियाँ
अनायास गुँथ जायेंगी
कोई त्वरा पैरों को छेड़ेगी
मन की ठिठुरन
झील में पिघलकर
हमारे जीते होने का साक्ष्य
प्रतिबिम्बित करने की उछाह, में
निष्प्रयास
उत्कंठित दीखेगी

अपने लिए शब्द

अनुभूत को मिली नहीं है भाषा
कौन कहता है!
व्यथा पा लेती अपनी राह....

अनुभूति
गढ़ सकती अपना शिल्प
सघन-स्पन्दन
पा लेते अपने लिए शब्द
कि
सायास कुछ नहीं होता
शायद
मेरा ही तपा नहीं है सोना

कच्चा मन

अकेली राह
कच्चा मन
ईंटों की भित्ति में
ठोक पीट
लिया चिन
न सावन
न फागुन
न चहक महक
कोई शगुन!

नयी आशा से लड़ना

दर्द:
अंगारा बन दहकता रहा बहुत दिन
हठ:
जागता रहा लालसा भरा लोभ बन प्रति छिन

सह लिया गया
क्या
इसीलिए
बेड़ियाँ पहनकर
शोर मचाते
अकेले जलूस में चलना
  -अड़ना, गिरना
हारे युद्ध को
हर नये दिन
नयी आशा से लड़ना?

अपना आकाश छूना न चाहे

ऐसा तो कुछ नहीं बदला, कि
मुझमें स्थित
चिरन्तन नारीत्व
तट तक आकर
टूटने, बिखरने
डूब जाने की चाह से
आलोड़ित न हो
या, मेरे भीतर का अपूर्ण
बाँहें फैलाए
अपना आकाश छूना न चाहे

मैं चुक जाऊँ
क्या सिर्फ इसीलिए, कि
ज्वार असमय
भाटे की नींद डूब सो चला है
और राका
जगाने की अपेक्षा
थपथपाने का उपक्रम कर रही है

आवाज़ की कटार

आवाज़ की कटार
मेरी पसलियों में
मत भोंको
मेरा मौन
किसी खोए क्षण की
जुगाली में व्यस्त खड़ा है
जबड़ों की
कटखनी धार के बीच
सारा अस्तित्व
क्षत-विक्षत पड़ा है

सपने आवेगित

सपने!
आवेगित गति
फेनिल चाह का
इस तरह
सिर धुन-धुन सो जाना
जीना रक्त के रंग का होता
तो
गहन के गर्भ तलक जाते

इसी तरह पाया/लौटाया

मैं, आज भी
कल भी
कल से आगे भी
तुम्हारे लिए
एक सतत
एक पीड़ित
परिणति-मुक्ति
प्रीति से मैंने
यही कुछ
इसी तरह पाया
लौटाया

पूरा सूरज

पहली किरण की
मुग्ध उजास में
खड़ा करके
क्यों कह दिया था–जरुर लौटोगे
मेरे ही लिए
पूरा सूरज
लेने जा रहे हो तुम!

तुम

एक जीवन का आर्विभाव: कितने अर्थ-वृत्तों का प्रादुर्भाव
एक चाह: कितने स्वप्नों की माँ
एक गान: कितने दर्दीले स्वर गुंजरित
एक व्यथा: पूरी यात्रा
एक कथा: राग
एक नाम: तुम!

हाथ

(1)

वे हाथ
जो अपने सान्निध्य के चाक पर
गढ़ते रहे
मेरा
रचना-मन!

(2)

रविवार
एक उम्मीद-
वक्त के थैले में
बदहवास को गई चीजों को
मेरा हाथ
आज सम्भालेगा
सहेजेगा

मिट्टी की देह

(1)

सुनती नहीं हो
कितना बोल रहीं
ये भित्तियाँ

(2)

शिखर
उतने ही नहीं थे
जितने मैंने देखे!

(3)

मिट्टी की देह में
थरथराते आलोक का आवास
मरना और जीना
कितना पास-पास

क्षमा

क्षमा कर पाती हूँ
क्योंकि-
तुम्हारे भीतर
और भीतर के
चोखे आदमी को
स्पर्श कर पाती हूँ

मेरा ढार-ढार रोना

यह जानते हुए भी
साथ रहे, अकसर
मीलों के फासले
हमारे बीच
सतत
जीवित रहे

हम दोनों
अपने ही भीतर
दूर-दूर तक
सदा
अकेले रहे

गमन-घड़ी तुम्हारा उद्वेलित होना
मेरा ढार-ढार रोना!

आकांक्षा का बल

जितने भी
सफ़र
शुरु हुए
अपने आप को
समर्पित हुए
किस
आकांक्षा का बल
अब
अपने से आगे
ले जायेगा!

तब से अब तक

वर्तमान:
जो तुम मेरे साथ जी नहीं पाते
भविष्य:
जो तुम मुझे दे नहीं सकते
किस अतीत का वास्ता देकर
तुमने
समय की लगाम
खींच ली है, कि
ठहरकर
वह मुझसे ही
मेरी अजन्मी अस्मिता विषय पूछता है
जो
भूत, भविष्य, वर्तमान
कहीं भी
स्थित नहीं हो पायी
त्रिकाल की वीथियों में
व्यर्थ
अपने अर्थ
खोजती फिरी है

अब मैं हूँ

(1)

वे सब
अभी-अभी तो थे
समय की सुरंग में आँखें खोले
मेरे साथ-साथ चल रहे थे
अब मैं हूँ

(2)

घोंटते हुए,
प्रगाढ़ सन्नाटा
अकेलेपन की दहशत से मुक्त
जैसे ठंडी ठिठुरी हथेलियों को
गुनगुने तारल्य से धो गया हो कोई ....

तादात्मय

देते फिरते हैं
उपालम्भ, उपेक्षा, तिरस्कार
पाना चाहते रहे
तरलता, आत्मीयता, अधिकार

पाने का
बोने से
क्या कुछ नहीं
होता सरोकार?

उतना बस

अतर्कित!
कालातीत!
मुझे नहीं स्वीकार
फिर भी
उस रिश्ते की लीक, जो
लौ का
अपने वृत से है
ज्योति के
तल में
उतना बस
छायाकिंत है

पहुँचने तक का...

अनास्था से आस्था तक
चलकर आने का संघर्ष
हम कब तक
अपने बाहर से-
परिस्थितियों से
परिवेश से
व्यक्तियों से
लड़ते रहेंगे
और नहीं जानेंगे
यह युद्ध
भीतर की व्यथा-यात्रा के
चरम पड़ाव पर
आ पहुँचने तक का है

कौन-सी संज्ञा

चुप बैठो
रहने दो बात
अन्तरंग मन की
बोझ उतर गया, तो
नींद जरूर आयेगी
तुम्हारे साथ होने का पर्व
फिर कौन-सी
संज्ञा मनायेगी!

मुक्ति अकेली नहीं होती

तुम्हारे चरम दुख का साक्ष्य
अपनी
व्यथा-यात्रा से
पुनः, हो
गुजरने का एहसास
मुक्ति
अपनी अकेली
किसी की नही होती!

मुझे प्रतीक्षा रहेगी तुम्हारी

अभी तो
जाना है बहुत दूर
मैं रास्ते पर हूँ
खोज में हूँ
बहुत चलना, यही मुझे ज्ञात
कहाँ जाना, क्यों जाना, नहीं विदित
कहीं पहुँच कर
शिखरों पर खड़े होकर
सभी पहिचाने होंगी स्पष्ट
नदी, नाले, ताल
वीथी, गह्वर, पठार
चाहे छोटा हो जायेगा सब कुछ
पर कितना स्पष्ट-निश्चित
अनुभव-बोध की दीठ से
देखे जा सकेंगे
सभी पड़ाव
पगडडिंयो पर छूटे सारे पदचिन्ह

पहिचान के उस अनिर्वच
आनन्द को
झेलने के लिए
मुझे प्रतीक्षा रहेगी तुम्हारी
वहीं, वहीं
निरन्तर
सतत!

वह मन्दिर

अपनी ही
आस्थाओं से निर्मित
  वह मन्दिर
  देव जिनके
            शाप भ्रष्ट
            भ्रमित!

आत्मबल

चुटकी भर
आत्मबल,
आश्वासन के
हर पहाड़ से
भारी तुला
- और ढुला

जो बस मैं थी

तुम्हें यह चाहिए था/वह नहीं
उसे वह चाहिए था/वह नहीं
उन्हें यह वह नहीं/वह यह चाहिए था
मुझमें

जोड़ घटाने की
इस खराद के चक्के
से पहले
अलग
कभी कुछ था
जो बस 'मैं' थी
खालिस!

बहुत-बहुत अखरा

बहुत बहुत अखरा
धूप के टुकड़े-सा
तुम्हारी देहरी से
चल आना
अपना

वे क्षण
जो उस दर्द की पहिचान देते रहे
कुल वही
मेरे साथ
मेरे होकर रहे

प्रतिलिपि बनाकर जिया है

अब तक तो
यही किया है
वर्ष को अतीत की
प्रतिलिपि बनाकर जिया है
दोहराए
हर बार
इस दिन
मन-ही-मन
स्मृतियों के आनन में मुखर
सभी जमघट
आवृत्तियों के मनोन्मुखी मोह से
पिघल कर
प्राणान्वित की सभी सुधियाँ।
समय ने
यद्यपि कभी मुड़कर नहीं देखा
हमें लगा
रागान्वित धुनें
हर बार/उसी तरह/अकुलाई है
पगलाई है
वही बातें हमने बार-बार
अपने आप को
समझाई है
कि

हम उस अतीत को
  उस विशिष्ट को
  उस घनीभूत क्षण को
उसी दर्द से
उसी उछाह से
अर्पित हैं
सम्पूर्ण समर्पित हैं

वर्षगाँठ

उन्मन
आन्दोलित मन
असुवाँता सूनापन
कैलैन्डरी वर्षगाँठ दोहराता
असत्य नहीं सहता
उछाह नहीं भरता
स्वप्न नहीं सजाता
प्रश्न और प्रश्न
अनगिनत प्रश्न उपजाता है
यह किसके मौन का रेगिस्तान?
किन स्वरलहरियों की मौत?
कौन-से सन्नाटे का कफ़न?
कैसी अनकही चुभन
अकुलाती है
शून्य के पृष्ठ पर
रक्राम व्यथा
बार-बार
लिख-लिख जाती है
कि
'क्षण' के प्रति ममत्व होता है
क्षण का घनत्व होता है
वह अनन्त नहीं होता
वह उद्दाम होता है

सत्यकाम नहीं होता
वह उछाह होता है
सतत प्रवाह नहीं होता
वह सजीली सुधि होती है
समूची सिद्धि नहीं होती
वह विशिष्ट होता है
अनन्त इष्ट नहीं होता!
अब तक तो यही किया
वर्ष का यह दिन!!

तुम्हें अनुराग पहुँचे

आज तुम्हारा द्वार घेरते
अनुभवों का
मिजाज नहीं पहिचानती
तुम्हारे देश में
घूम फिर कर
आती हवाओं के पदचाप
नहीं जानती
चुनें कौन-सी धुन
बुनुँ कौन-सी लय
कौन-सा गीत दोहराऊँ
कि
तुम्हें एहसास पहुँचे
कौन-सा भाव जगाऊँ
कि
तुम्हें अनुराग पहुँचे!

रचना की संज्ञा

शक्ति मेरी भी कविता नहीं
अकथ्य का बोझ कविता बन जाता है
तुम्हें छूता हुआ क्षण
रचना की संज्ञा पा जाता है

मनुष्य हथियार धारण करता है

जंगल में
हिरण चौकन्ना
आता गुजर जाता है
बाघ सूँघता है
चला जाता है
हाथी के
बचाव/आत्मरक्षा की इच्छा
आक्रामक की
तरह जागती है
हथियार जरुरत हुए भी तो
मनुष्य के साथ
मनुष्य के लिए होते हैं

मनुष्य जब मनुष्य से डरता है
हथियार धारण करता है

नेह दिया/लिया

जब दिया-
आलोक की अनी से अन्तर प्रान्तर छू दिया था
जब लिया-
अंधेरे के गर्त में सरोबार कर दिया
यह अनी
किरण मनी
कितना ही अँधेरे का गर्भ टटोले
कुंठाओं को छेदे
कुहासों के द्वार खोले
अनी तो अनी है
अलस आलोक के अनछुए मधुर श्वास से बनी है
अँधेरा अँधेरा है
काला है, गहरा है
जड़, अभेद्य, दृष्टिहीन है
जो पाता है उसे ही लील जाता है
प्रकाश अँधेरे को कहाँ
अँधेरा प्रकाश को खाता है
(विश्वास झुठलाता है)

तोड़ो-गढ़ो

तोड़ो
टूटना अस्वीकार नहीं
हे ज्योर्तिमय
मुझे
किसी निर्माण की कोई ईंट
किसी अनुष्ठान का कोई मन्त्र
किसी अभियान की कोई भंगिमा
किसी सोपान का एक पग
जोड़ो
मोड़ो
गढ़ो

खुली किताब हुई होती!

जिन्दगी!
एक लिखी लिखाई
खुली किताब हुई होती
जी ज़ी उठती जिजीविषा!!

सुनोगे

उत्तर पूरा हुआ
तुम्हारी आज की बातों का,
फिर भी बचा रह गया
लगता है, जैसे एक
बार खाल छील देने से
घाव रिसता रहे देर तक-
सुनोगे...?

जाने बिना

एक दिन
किरणों की तरह
तुमने
मेरा माथा चूमा था
और मैं
रोशनी के एहसास की तरह
अंधेरों के समन्दर
लाँघती चली गई थी
बिना जाने, कि
तुम्हें पाने के लिए
तुम्हारे किरण स्पर्श के एहसास के बिना
तुम तक
किस रास्ते से लौटना होगा!

मैं नहीं हारी

साँझ के आँचल में छिपकर
प्रकाश खींच लिया
जाल-सा
सर चढ़े आकाश ने

धरती डोलती लगती रही
बरसों
संतुलन के पाँव तले

आस्था सुख कभी नहीं टिका
देर तलक
चीख अरक्षा की
अकसर अंधेरे गुँजाती रही

प्रतिध्वनियों में गुम
सचेत श्वास टकराते फिरे
ढह-ढह जाती रही
गात की हठीली क्षमता

मैं नहीं हारी
तब भी!

न्याय दूसरे का होता है

जिस, किसी क्षण
अपने ही भीतर
लौट जाता हो मन
आत्महत्या नहीं
यातना होती है शुद्ध-पैनी
तोड़ दिए काँच की तरह खील खील
ढकी हुई दाह की
अचक
खोल गया कोई।

उस क्षण में
उस केन्द्र पर
खुल जाते कितने ही मुख
घूरती अपेक्षाएँ
जहाँ भी दूसरा होता है
इच्छा अपनी
न्याय दूसरे का होता है

हम नहीं सोच पायेंगे

नहीं/हम नहीं सोच पाएंगे
अदेखे अंजाने आगत जन्मी की वही अपाहिज बात
न ही ओढ़ पाएंगे
प्रभु बोध की संदिग्ध आश्वस्ति
हमारा विश्वास
हम भी
उसी तरह
लय के/और अर्थ के गंध में
इतिहास को
दिए जायेंगे
कण-कण
अदेखे
चुपचाप!

मेरे होने की संगति

जितना
नपा तुला
संयत साधारण है
मेरे 'होने' की संगति है
मेरा 'अतिरिक्त'
मेरे जीने के आड़े हैं।

इसीलिए चुप

सुन्दर से घृणित
महत् से निकृष्ट, में
डूब जाने का
नहीं देखा जाता
पर्व
इसीलिए चुप
फुटपाथ पर खड़ी
देख रही
आवाज़ों के जलूस का गुज़रना....